中华人民共和国国家标准

煤炭矿井设计防火规范

Code for design of prevention of mine fire in coal mines

GB 51078 - 2015

主编部门：中 国 煤 炭 建 设 协 会
批准部门：中华人民共和国住房和城乡建设部
施行日期：2 0 1 5 年 9 月 1 日

中国计划出版社

2015 北京

中华人民共和国国家标准
煤炭矿井设计防火规范
GB 51078-2015

☆

中国计划出版社出版
网址:www.jhpress.com
地址:北京市西城区木樨地北里甲11号国宏大厦C座3层
邮政编码:100038 电话:(010) 63906433(发行部)
新华书店北京发行所发行
北京市科星印刷有限责任公司印刷

850mm×1168mm 1/32 2.25 印张 52 千字
2015 年 4 月第 1 版 2015 年 4 月第 1 次印刷

☆

统一书号:1580242·607
定价:14.00 元

版权所有 侵权必究
侵权举报电话:(010) 63906404
如有印装质量问题,请寄本社出版部调换

中华人民共和国住房和城乡建设部公告

第702号

住房城乡建设部关于发布国家标准《煤炭矿井设计防火规范》的公告

现批准《煤炭矿井设计防火规范》为国家标准，编号为GB 51078—2015，自2015年9月1日起实施。其中，第3.1.1、3.1.3、3.1.4(1、2)、3.2.1(2)、3.2.4(2)、3.3.3(3)、4.1.2(1)、4.3.1(1、2)、5.2.1条(款)为强制性条文，必须严格执行。

本规范由我部标准定额研究所组织中国计划出版社出版发行。

中华人民共和国住房和城乡建设部
2014年12月31日

前　言

本规范是根据住房城乡建设部《关于印发〈2011年工程建设标准规范制订、修订计划〉的通知》(建标〔2011〕17号)的要求,由中煤科工集团重庆设计研究院有限公司会同有关单位共同编制完成的。

本规范在编制过程中,编制组进行了广泛调查研究,多次征求全国煤炭行业有关专家和单位的意见,参考了国内外有关资料,反复修改,最后经审查定稿。

本规范共分6章和1个附录,主要内容包括:总则、术语和符号、外因火灾防治、内因火灾防治、井下火灾检测及监控、防灭火设施及器材等。

本规范中以黑体字标志的条文为强制性条文,必须严格执行。

本规范由住房城乡建设部负责管理和对强制性条文的解释,由中国煤炭建设协会负责日常管理,由中煤科工集团重庆设计研究院有限公司负责具体技术内容的解释。本规范在执行过程中,请各单位结合工程实践,认真总结经验,注意积累资料,如发现需要修改或补充之处,请将意见及有关资料寄交中煤科工集团重庆设计研究院有限公司(地址:重庆市渝中区长江二路179号;邮政编码:400016;传真:023－68811613),以供今后修订时参考。

本规范主编单位、参编单位、主要起草人和主要审查人:

主编单位:中煤科工集团重庆设计研究院有限公司

参编单位:煤炭工业合肥设计研究院

中煤西安设计工程有限责任公司

中煤科工集团武汉设计研究院有限公司

中国矿业大学

主要起草人:	万祥富	卢溢洪	王白空	张　刚	卿恩东
	成　刚	邱林彬	饶泽青	蒲　毅	严天良
	张　捷	刘志刚	夏吉均	肖佑坤	王德明
	陆　伟	王正辉	黄通才	何春诗	张世良
	李尚国				
主要审查人:	冯冠学	杨裕官	于新胜	张安林	何建平
	何芳现	吴　影	樊春辉		

目　　次

1 总　　则 ……………………………………………………（ 1 ）
2 术语和符号 …………………………………………………（ 2 ）
　2.1 术语 ……………………………………………………（ 2 ）
　2.2 符号 ……………………………………………………（ 3 ）
3 外因火灾防治 ………………………………………………（ 6 ）
　3.1 一般规定 ………………………………………………（ 6 ）
　3.2 电气火灾预防措施 ……………………………………（ 6 ）
　3.3 其他火灾预防措施 ……………………………………（ 8 ）
4 内因火灾防治 ………………………………………………（ 11 ）
　4.1 一般规定 ………………………………………………（ 11 ）
　4.2 灌浆 ……………………………………………………（ 12 ）
　4.3 注氮 ……………………………………………………（ 15 ）
　4.4 喷施阻化剂 ……………………………………………（ 18 ）
　4.5 灌注三相泡沫 …………………………………………（ 18 ）
5 井下火灾检测及监控 ………………………………………（ 20 ）
　5.1 观测点设置及仪器配备 ………………………………（ 20 ）
　5.2 监测监控 ………………………………………………（ 20 ）
　5.3 束管监测系统 …………………………………………（ 21 ）
6 防灭火设施及器材 …………………………………………（ 22 ）
　6.1 井下防灭火器材 ………………………………………（ 22 ）
　6.2 消防材料库及器材配备 ………………………………（ 23 ）
附录 A　井上、井下消防材料库主要器材配置 ……………（ 24 ）
本规范用词说明 ………………………………………………（ 30 ）
引用标准名录 …………………………………………………（ 31 ）
附：条文说明 …………………………………………………（ 33 ）

Contents

1 General provisions ··· (1)
2 Terms and symbols ··· (2)
  2.1 Terms ·· (2)
  2.2 Symbols ··· (3)
3 External fire prevention ··· (6)
  3.1 General requirement ··· (6)
  3.2 Electrical fire precautions ····································· (6)
  3.3 Other fire precautions ·· (8)
4 Spontaneous fire prevention ···································· (11)
  4.1 General requirement ··· (11)
  4.2 Grouting ·· (12)
  4.3 Nitrogen injection ··· (15)
  4.4 Spraying retarder ··· (18)
  4.5 Three-phase foam perfusion ·································· (18)
5 Underground fire detection and monitoring ················ (20)
  5.1 Observation point setting and instruments configuration ·· (20)
  5.2 Monitoring and control ··· (20)
  5.3 Beam tube monitoring system ································ (21)
6 Anti-fighting facilities and equipment ······················· (22)
  6.1 Underground fire equipment ·································· (22)
  6.2 Fire material library and equipment configuration ······ (23)
Appendix A Main equipment configuration of fire material library ·· (24)

Explanation of wording in this code ……………………… (30)
List of quoted standards ……………………………… (31)
Addition:Explanation of provisions ……………………… (33)

1 总　　则

1.0.1 为规范煤炭矿井防火设计,防止和减少火灾危害,确保煤矿生产安全,制定本规范。

1.0.2 本规范适用于新建、改建和扩建煤矿咨询和设计阶段的井下防火设计。

1.0.3 煤炭矿井防火设计应坚持预防为主、综合治理的原则,做到安全适用、技术先进、经济合理。

1.0.4 煤炭矿井防火设计除应符合本规范外,尚应符合国家现行有关标准的规定。

2 术语和符号

2.1 术语

2.1.1 煤的自燃倾向性　coal spontaneous combustion tendency

煤在常温下氧化能力的内在属性。

2.1.2 自然发火期　spontaneous combustion period

在一定条件下，煤从接触空气到自燃所经过的时间。

2.1.3 外因火灾　external fire

由明火、爆破、电流短路、摩擦等外部火源引起的火灾。

2.1.4 内因火灾　spontaneous fire

由煤炭或其他易燃物质自身氧化蓄热发生燃烧而引起的火灾。

2.1.5 阻化剂　retarder

阻止煤炭氧化自燃的化学药剂。

2.1.6 灌浆　grouting

用输浆设备将泥浆送到防火或灭火地点的作业。

2.1.7 土(灰)水比　ratio of clay to water

防灭火浆液中固体材料自然堆积体积与水体积之比。

2.1.8 防火门　fire-proof door

防止井下火灾蔓延和控制风流的安全设施。

2.1.9 自然发火三带　three zones of coal

采煤工作面由切顶线向采空区方向形成的散热带(冷却带)、氧化带和窒息带。

2.1.10 临界氧浓度　critical oxygen concentration

采空区空气中使煤炭不能发生自燃的最高氧气浓度。

2.1.11 惰化防火指标　inertion index for prevention
煤的防火临界氧气浓度。

2.1.12 惰化灭火指标　inertion index for extingishment
彻底扑灭火源并不再复燃的临界氧气浓度。

2.1.13 开放式注氮　open type of nitrogen injection
在需要注氮的区域未封闭时注氮。

2.1.14 封闭式注氮　seal type of nitrogen injection
为控制火情或防止瓦斯爆炸,将发生火灾或积聚瓦斯的区域先封闭后再注氮。

2.1.15 三相泡沫　three-phase foam
在浆液中添加一定比例的发泡剂并引入气源,使浆液发泡,进而形成集气、液、固三相于一体的泡沫防灭火材料。

2.1.16 发泡剂　foaming agent
具有较高的表面活性、能有效降低液体的表面张力而发泡的物质。

2.1.17 发泡器　foam maker
将引入气源和含发泡剂的浆液充分混合而发泡的装置。

2.2 符　号

2.2.1 灌浆:

D——管道内径;

D_1——管路临界直径;

g——重力加速度;

G——工作面日产量;

h——灌浆材料覆盖厚度;

H——工作面回采高度;

H_1——输浆管道排出点管中心与输浆泵吸入口管中心的高差;

H_0——输浆管道末端剩余水头;

H_P——输浆泵清水扬程；

H_T——输浆管道总水头损失；

i——输浆管路沿程水力坡降；

K_f——输浆泵磨损扬程折减系数；

K_j——颗粒推移运动比例与自由沉降速度和流速之间的关系系数；

K_m——输浆泵扬程降系数；

K_ζ——输浆管道局部阻力系数；

L——工作面长度；

L_j——分段管路长度；

m——输浆管路段数；

M——浆液制成率；

n——同时灌浆工作面数；

N——灌浆添加剂防灭火效率因子；

Q——管路通过流量；

Q_k——矿井灌浆量；

Q_w——回采工作面的灌浆量；

t——灌注时间；

u_s——颗粒与管道的摩擦阻力系数；

W——工作面灌浆宽度；

α——固体颗粒的抑紊减阻系数；

δ——土水比倒数；

ρ_c——煤的密度；

λ——水的摩阻系数；

$\bar{\omega}$——颗粒平均自由沉降速度；

Δ——注浆管道当量粗糙度；

ρ_m——浆液密度；

ρ_s——灌浆材料真密度；

ρ——水密度；

v——浆液流速。

2.2.2 注氮：

C_1——采空区氧化带内的原始氧浓度；

C_2——采空区防火惰化指标；

C_N——注入氮气中的氮气纯度；

D_0——基准直径；

D_i——实际输氮管路直径；

L_i——相同直径管路的长度；

P_1——输氮管路供氮绝对压力；

P_2——输氮管路末端绝对压力；

Q_0——采空区氧化带内的漏风量；

Q_{max}——管路最大输氮量；

Q_N——注氮流量；

λ_0——基准管路的阻力损失系数；

λ_i——实际输氮管路的阻力损失系数。

2.2.3 喷施阻化剂：

Q_y——吨煤用液量；

S——工作面日进度；

V——喷施量；

η——工作面丢煤率。

2.2.4 灌注三相泡沫：

n_d——灌注点数；

n_j——发泡剂添加比例；

Q_f——添加发泡剂量；

Q_h——三相泡沫的小时灌注量；

Q_j——日灌注三相泡沫的浆液量；

Q_s——日灌注三相泡沫的用气量；

n_s——发泡剂的发泡倍数。

3 外因火灾防治

3.1 一般规定

3.1.1 煤矿必须建立井下消防洒水系统,并应装设反风设施。

3.1.2 防火门设置应符合下列规定:

1 进风井口应装设防火铁门,防火铁门应严密并易于关闭,打开时不得妨碍提升、运输和人员通行;不设防火铁门时,应采取防止烟火进入矿井的安全措施。

2 暖风道和压入式通风的风硐应至少装设2道防火门。

3 井下机电设备硐室应设置向外开启的防火铁门。

4 井下主排水泵房与主变电所硐室之间应设置防火栅栏铁门。

3.1.3 新建矿井的永久井架和井口房、以井口为中心的联合建筑,必须采用不燃性材料建筑。

3.1.4 井巷支护材料选择应符合下列规定:

1 进风井筒、回风井筒、主要生产水平的井底车场、井下主要硐室和采区变电所、井筒与各水平的连接处、主要绞车道与主要运输巷及回风巷的连接处,以及主要巷道内带式输送机机头前后两端各20m范围内,必须采用不燃性材料支护。

2 暖风道和压入式通风的风硐必须采用不燃性材料砌筑。

3 井下机电设备硐室出口防火铁门外5m内的巷道,应砌碹或采用其他不燃性材料支护。

3.2 电气火灾预防措施

3.2.1 井下电气系统防火措施应符合下列规定:

1 矿井高压电网应采取限制单向接地电容电流不超过10A

的措施。

2 配电变压器低压侧严禁采用中性点直接接地系统,地面中性点直接接地的变压器或发电机严禁直接向井下供电。

3 配电系统应装设过流、短路保护装置;应用配电系统的最大三相短路电流对开关设备的分断能力和动、热稳定性,以及电缆的热稳定性进行校验。

4 电压在36V以上和可能带有危险电压的电气设备的金属外壳、构架,以及铠装电缆的钢带或钢丝、铅皮或屏蔽护套等应设有保护接地。电气设备的保护接地装置和局部接地装置应与主接地极连成接地网。

5 采区电气设备使用3300V供电时,应制定专门的安全措施。

3.2.2 井下电气设备保护方式应符合下列规定:

1 主变电所的高压馈电线应装设有选择性的单相接地保护装置;供移动变电站的高压馈电线应装设有选择性的动作于跳闸的单相接地保护装置。

2 由采区变电所、移动变电站或配电点引出的馈电线,应装设短路、过负荷和漏电保护装置。

3 低压馈电线应装设检漏保护装置或有选择性的漏电保护装置。

3.2.3 井下电缆选择应符合现行行业标准《煤矿用电缆》MT 818.1~MT 818.13和《煤矿用阻燃电缆 第3单:煤矿用阻燃通信电缆》MT 818.14的有关规定,并应符合下列规定:

1 在立井井筒、钻孔套管或倾角为45°及以上巷道中敷设的高压电缆,应采用聚氯乙烯、交联聚乙烯绝缘粗钢丝铠装护套电力电缆。

2 在倾角45°以下井巷中敷设的高压电缆,应采用聚氯乙烯、交联聚乙烯绝缘钢带或细钢丝铠装护套电力电缆。

3 移动变电站的电源电缆应采用高柔性和高强度的矿用监

视型屏蔽橡套电缆。

3.2.4 井下电缆敷设应符合下列规定：

　　1 在总回风巷和专用回风巷中不应敷设电缆。

　　2 在有瓦斯抽采管路的巷道内，电缆与瓦斯抽采管路必须分挂在巷道两侧。

3.2.5 井口防雷电装置应符合下列规定：

　　1 经由地面架空线路引入井下的供电线路和电机车架线，应在入井处装设防雷电装置。

　　2 由地面直接入井的轨道及露天架空引入（出）的管路，应在井口附近将金属体进行不少于2处的良好集中接地。

　　3 通信线路应在入井处装设熔断器和防雷电装置。

3.3　其他火灾预防措施

3.3.1 井下带式输送机安全要求除应符合现行国家标准《煤矿用带式输送机　安全规范》GB 22340的有关规定外，尚应符合下列规定：

　　1 应使用阻燃输送带。

　　2 非金属材料零（部）件安全性能，应符合现行行业标准《煤矿井下用聚合物制品阻燃抗静电性通用试验方法和判定规则》MT 113的有关规定。

　　3 矿用安全型和限矩型偶合器不应使用可燃性传动介质。调速型液力偶合器使用油介质时，应采用良好的外循环系统和完善的超温保护措施。

　　4 带式输送机头部宜设置清扫装置，并应配置温度、烟雾监测和自动洒水装置。

3.3.2 井下瓦斯抽采管路选择及安装应符合下列规定：

　　1 抽采管路管材宜选择金属管材，选用非金属管材时其抗静电、阻燃等性能应符合现行行业标准《煤矿用非金属瓦斯输送管材安全技术要求》AQ 1071的有关规定。

2 抽采管路应具有良好的气密性、足够的机械强度,并应采取防漏、防砸、防腐蚀、防带电等措施。

　　3 通往井下的金属管路应采取防雷电和隔离措施。

　　4 开采容易自燃、自燃煤层的矿井抽采采空区低浓度瓦斯时,应在靠近吸入口的管路上安设自动喷粉抑爆装置,其性能应符合现行行业标准《瓦斯管道输送自动喷粉抑爆装置通用技术条件》AQ 1079 的有关规定。

3.3.3 井下瓦斯抽采泵站应符合下列规定:

　　1 泵站位置应选择在稳定、坚硬的岩层中,不应受采动影响,泵站硐室应采用不燃性材料支护。

　　2 泵站与主要巷道及硐室的安全距离,应符合现行国家标准《煤矿瓦斯抽采工程设计规范》GB 50471 的有关规定。

　　3 泵站硐室必须独立通风。

　　4 泵站内除应设置消防管路系统外,还应配备消防器材,出口应装设向外开启的防火铁门,铁门上应装设便于关闭的通风孔。

3.3.4 井下油品储存和使用应符合下列规定:

　　1 井下无轨胶轮车运输不能直达井口时,井下可设加油硐室;无轨胶轮车能直达井口时,应在地面加油。

　　2 除加油硐室外,井下其他地点不得存放柴油,硐室储油量不得超过井下所有车辆 8h 的用油量。储油量增加时,应制定专门的安全措施,并应按规定程序批准,最多不得超过井下所有车辆 1d 的用油量。

　　3 车辆应在加油硐室内加油,加油时应关闭发动机,并应使用专用防爆加油装置。

3.3.5 井下加油硐室设计应符合下列规定:

　　1 独立通风。

　　2 采用不燃性材料支护。

　　3 装设向外开启的防火铁门,铁门上应装设便于关闭的通风孔。

4 设置火灾监测报警装置,并应配备扑灭燃油火灾的灭火器材。

5 除防爆照明系统、防爆加油装置外,不应存放其他电气设备。

3.3.6 井下空气压缩机设置除应符合现行国家标准《煤炭工业矿井设计规范》GB 50215 的有关规定外,尚应符合下列规定:

1 应选择排气温度较低的空气压缩机。

2 移动式空气压缩机应布置在进风巷道中,固定式空气压缩机硐室应有独立的回风系统,巷道(硐室)应采用不燃性材料支护,安装地点应有完备的消防设施。

3 空气压缩机至后冷却器间的管道应能方便拆卸及清除积炭。

4 压缩空气管道系统应避免死区、盲管和急剧转角。在管道的最低部位、上山等处均应设置油水分离器。管道连接的密封和衬垫材料应采用阻燃材料。

4 内因火灾防治

4.1 一般规定

4.1.1 矿井防火设计应以国家授权单位提交的煤层自燃倾向性等级鉴定报告为依据。

4.1.2 矿井防火设计应采取预防煤层自然发火的综合治理措施,并应符合下列规定:

1 开采容易自燃煤层的矿井或采用放顶煤开采自燃煤层的矿井,必须建立以灌浆为主的两种及以上综合防灭火系统,并必须建立火灾监测系统。

2 未采用放顶煤开采自燃煤层的矿井,应建立灌浆、注氮或喷施阻化剂等防灭火系统,并应建立火灾监测系统。

3 开采不易自燃煤层的矿井,可建立喷施阻化剂或注氮等防灭火系统。

4 开采容易自燃和自燃煤层的矿井应设置自然发火观测站或观测点。

4.1.3 开采容易自燃和自燃煤层的矿井,开拓巷道及采区上、下山(盘区大巷),应布置在岩层或不易自燃的煤层中。布置在容易自燃和自燃煤层中时,应采用砌碹、锚(网)喷等不燃性材料支护封闭煤层。

4.1.4 开采容易自燃和自燃煤层的矿井,采煤工作面应采用后退式回采,采区和回采工作面尺寸应根据煤层自燃倾向性、自然发火期、回采工作面推进度,以及煤层防灭火措施等确定。

4.1.5 采用顶板陷落法开采自燃厚煤层、容易自燃煤层时,不宜留设护顶煤。

4.1.6 开采容易自燃和自燃煤层的矿井宜降低通风阻力,矿井通风负压不宜超过2940Pa。

4.2 灌 浆

4.2.1 灌浆系统选择应符合下列规定：

1 灌浆地点集中、取运灌浆材料距离较远时，宜采用地面集中灌浆系统。

2 灌浆地点分散、灌浆材料丰富可就地取材时，宜采用地面分区灌浆系统。

3 灌浆量较小，且从地面输送浆液困难时，可选择井下移动灌浆系统。

4.2.2 地面灌浆站位置应符合下列规定：

1 便于浆液输送及制浆材料运输。

2 宜与矿井场地联合布置。

3 应选择在地质条件稳定和安全的地带。

4.2.3 地面灌浆站设置应符合下列规定：

1 满足制浆工艺及设备布置的要求。

2 储料场应能存储不小于3d的灌浆材料。

3 储浆池容积应满足灌浆要求，并应有不小于10min的灌浆量。

4.2.4 井下灌浆材料选择应符合下列规定：

1 灌浆材料可选择黄土、粉煤灰等惰性材料。

2 灌浆材料和添加剂不得具有可燃性、助燃性、毒性、辐射性等。

3 灌浆材料性能指标应符合现行行业标准《煤矿注浆防灭火技术规范》MT/T 702的有关规定。

4.2.5 浆液制备工艺宜采用机械搅拌制浆。

4.2.6 开采容易自燃煤层、自燃煤层时，宜随采随灌；灌浆受回采限制时，可采用采后灌浆。

4.2.7 矿井灌浆量可按下列公式计算：

$$Q_k = \sum_{i=1}^{n} Q_{wi} \qquad (4.2.7\text{-}1)$$

$$Q_w = \frac{GWh(\delta+1)M}{\rho_c HLNt} \qquad (4.2.7\text{-}2)$$

式中：Q_k——矿井灌浆量（m³/h）；

n——同时灌浆工作面数；

Q_w——回采工作面灌浆量（m³/h）；

G——工作面日产量（t/d）；

W——工作面灌浆宽度（m）；

h——灌浆材料覆盖厚度，可取 0.05～0.25（m）；

δ——土水比倒数，可取 3～5；

M——浆液制成率，应取 0.9；

ρ_c——煤的密度（t/m³）；

H——工作面回采高度，综放工作面取割煤高度加放顶煤高度乘以顶煤回收率（m）；

L——工作面长度（m）；

N——灌浆添加剂防灭火效率因子；

t——灌注时间（h/d）。

4.2.8 输浆管道管径内径选择不应大于临界直径，临界直径可按下式计算：

$$D_1 = \left(\frac{0.9158 \times Q}{3600 \times \pi}\right)^{24/53} \left(\frac{\alpha\lambda}{g^{11/8}}\right)^{8/53} \left[\frac{(\rho_s-\rho)\rho_m}{(\rho_m-\rho)(\rho_s-\rho_m)\Delta^3 \overline{\omega}}\right]^{2/53}$$

$$(4.2.8)$$

式中：D_1——管路临界直径（内径）（m）；

Q——管路通过流量（m³/h）；

α——固体颗粒的抑紊减阻系数，可取 0.9；

λ——水的摩阻系数；

g——重力加速度（m/s²）；

ρ_s——灌浆材料真密度（t/m³）；

ρ——水密度(t/m^3);

ρ_m——浆液密度(t/m^3);

Δ——注浆管道当量粗糙度,钢管取0.000046(m);

$\overline{\omega}$——颗粒平均自由沉降速度,可取0.001~0.01(m/s)。

4.2.9 输浆管路总水头损失可按下列公式计算:

$$H_T = (1+K_\zeta) \times \sum_{j=1}^{m}(L_j \times i_j) \quad (4.2.9\text{-}1)$$

$$i = \left[\frac{\alpha\lambda v^2 \rho_m}{2gD\rho} + K_j u_s \left(\frac{\rho_m - \rho}{\rho_s - \rho}\right)\left(\frac{\rho_s - \rho_m}{\rho}\right)\frac{\overline{\omega}}{v}\right] \times 10^{-2} \quad (4.2.9\text{-}2)$$

式中:H_T——输浆管道总水头损失(MPa);

K_ζ——输浆管道局部阻力系数,可取0.1~0.15;

m——输浆管路段数;

L_j——分段管路长度(m);

i——输浆管路沿程水力坡降(MPa/m);

v——浆液流速(m/s);

D——管道内径(m);

K_j——颗粒推移运动比例与自由沉降速度和流速之间的关系系数,可取11;

u_s——颗粒与管道的摩擦阻力系数,可取0.3~0.8。

4.2.10 当浆池位置与注浆点高差形成的静压大于注浆管道总水头损失与注浆管道末端剩余水头之和时,可采用重力输浆方式;当浆池位置与注浆点高差形成的静压小于注浆管道总水头损失与注浆管道末端剩余水头之和时,应采用加压输浆方式。

4.2.11 输浆泵选择应符合下列规定:

1 清水扬程可按下式计算:

$$H_P = \frac{H_T \rho_m + H_0 \rho_m - H_1 \rho_m \times 10^{-2}}{\rho K_m K_f} \quad (4.2.11)$$

式中:H_P——输浆泵清水扬程(MPa);

H_1——输浆管道排出点管中心与输浆泵吸入口管中心的高

差(m);

H_0——输浆管道末端剩余水头(MPa);

K_m——输浆泵扬程降系数,可取 0.85~0.95;

K_f——输浆泵磨损扬程折减系数,可取 0.85~0.95。

2 输浆泵流量和扬程应与注浆系统相适应。

3 加压输浆系统应设置备用输浆泵,其工作能力不应小于最大一台输浆工作泵。

4.2.12 管道选择、敷设及附属设施应符合下列规定:

1 输浆管道宜采用钢管;承受压力大于 1.6MPa 的管段宜采用无缝钢管;室外埋地输浆管道管材应具有耐腐蚀和承受相应地面荷载的能力。

2 输浆管道阀门及管件的公称压力应大于管段承受的最大压力。

3 输浆管道敷设应符合下列规定:

　　1)管道敷设不宜出现两边高、中间低的凹型管段;

　　2)巷道内输浆管应沿巷壁敷设固定牢固,并不得妨碍人员和运输设备通行。

4 输浆管道应采取防腐措施;井筒中的输浆管道防腐应按现行行业标准《煤矿井筒装备防腐蚀技术规范》MT/T 5017 的有关规定执行。

5 浆液流入输浆管道前应设置过滤筛网,筛网孔径宜为 15mm~20mm。

4.2.13 疏水系统应符合下列规定:

1 在灌浆区下部的密闭墙底部应设置排水孔或溢水孔。

2 灌浆区下部采掘前,应对灌浆区打钻孔或采取其他泄水措施。

4.3 注　　氮

4.3.1 采空区注氮应符合下列规定:

1 注入的氮气浓度不应小于 97%。

2 注氮后采空区惰化指标应符合下列规定：
　　　　1) 惰化氧浓度不应大于煤自燃临界氧浓度，且含氧量不得大于7%；
　　　　2) 惰化灭火氧浓度不应大于3%；
　　　　3) 惰化抑制瓦斯爆炸氧浓度应小于12%。
　　3 应设置连续监测采空区气体成分变化的监测系统。
　　4 应设置固定或移动温度观测站(点)并采取监测措施。
4.3.2 制氮方法可采用变压吸附制氮、膜分离制氮和深冷空分制氮。
4.3.3 制氮系统可选用地面固定式和井下移动式，其选用原则应符合下列规定：
　　1 井下生产集中、氮气需求量较大时，宜集中布置地面固定式制氮站；同时生产的采区(盘区)相距较远、氮气需求量较大时，宜分区布置地面固定式制氮站。
　　2 氮气需求量小，地面输送距离长时，可选择井下移动式制氮站。
4.3.4 注氮方式的选择应符合下列规定：
　　1 宜采用开放式注氮，当工作面受火灾隐患影响严重时，可采用封闭式注氮。
　　2 在工作面开采初期、停采撤架期间或受地质构造、机电设备等影响造成工作面推进缓慢时，宜采用连续性注氮；工作面正常回采期间，可采用间断性注氮。
4.3.5 注氮方法应根据采空区或火灾隐患区、注氮方式等因素确定，可采用埋管注氮、拖管注氮、钻孔注氮、插管注氮和密闭注氮等。
4.3.6 氮气释放口的位置应依据氮气的扩散半径、工作面参数及采空区自然发火三带分布规律确定，注氮管释放口应保持在采空区的氧化带内。
4.3.7 回采工作面注氮量应按下式计算：

$$Q_N = 60Q_0 \frac{C_1 - C_2}{C_N + C_2 - 1} \quad (4.3.7)$$

式中：Q_N——注氮流量(m^3/h)；

Q_0——采空区氧化带内的漏风量,可取 $5m^3/min \sim 20m^3/min$;

C_1——采空区氧化带内的原始氧浓度,可取 10%～15%;

C_2——采空区防火惰化指标,可取 7%;

C_N——注入氮气中的氮气纯度,97%。

4.3.8 制氮设备选择宜按总注氮量乘以 1.2～1.5 的富余系数确定。

4.3.9 开采容易自燃煤层的矿井,制氮设备备用数量和能力应按不低于正常运行设备的 50%确定。

4.3.10 输氮管路选择和敷设应符合下列规定:

1 从地面供氮时,输氮管路应选用无缝钢管。从井下供氮时,在满足输氮压力的条件下,可选用耐压橡胶软管,但进入采空区或火区的管路应采用无缝钢管。

2 输氮管路铺设应减少拐弯,并应保持平、直、稳,接头不应漏气。每节钢管的支点不应少于 2 点,每节软管吊挂不应少于 4 点。低洼处可设置放水阀;输氮管路的分岔处应设置三通和截止阀及压力表;输氮管路表面应做防锈处理。

3 输氮管路管径可按下式验算:

$$P_1 = \left[0.0056 \left(\frac{Q_{max}}{1000} \right)^2 \sum \left(\frac{D_0}{D_i} \right)^5 \left(\frac{\lambda_i}{\lambda_0} \right) L_i + P_2^2 \right]^{1/2}$$

(4.3.10)

式中:P_1——输氮管路供氮绝对压力(MPa);

P_2——输氮管路末端绝对压力,不小于 0.2(MPa);

Q_{max}——管路最大输氮量(m^3/h);

D_0——基准直径,取 150(mm);

D_i——实际输氮管路直径(mm);

L_i——相同直径管路的长度(km);

λ_0——基准管路的阻力损失系数,取 0.026;

λ_i——实际输氮管路的阻力损失系数。

4.4 喷施阻化剂

4.4.1 阻化剂选择应符合下列规定：
    1 阻化率应高。
    2 材料来源应充足，贮运应方便，价格应经济合理。
    3 对人体应无害，对环境污染、设备腐蚀应小。

4.4.2 高硫煤宜采用水玻璃、消石灰做阻化剂，其他煤种宜采用盐类阻化剂。

4.4.3 盐类阻化剂溶液浓度宜控制在 15%～20%，最低不应小于 10%。在阻化剂中宜添加缓蚀剂，腐蚀率不应大于 3mg/（d·20cm²）。

4.4.4 阻化剂喷施量应按下式计算：

$$V = Q_y \cdot \eta \cdot \rho_c \cdot L \cdot H \cdot S \qquad (4.4.4)$$

式中：V——喷施量(m^3/d)；
    Q_y——吨煤用液量，可取 $0.04m^3 \sim 0.06m^3$；
    η——工作面丢煤率(%)；
    S——工作面日进度(m)。

4.4.5 采用阻化汽雾防火工艺系统时，雾化器入口压力宜为 3MPa～4MPa。高压泵的压力应根据雾化器数量、管路长度、管路直径等参数确定。

4.4.6 喷施设备能力应根据喷施量及雾化器入口压力综合确定。

4.5 灌注三相泡沫

4.5.1 灌注三相泡沫系统设计应符合下列规定：
    1 浆液制备和输送系统应符合本规范第 4.2 节的相关规定。
    2 浆液输送管路的入口应设置孔径不大于 8mm 的过滤网。
    3 气源进入发泡器入口的压力应大于该点至灌注点间的泡沫流动阻力，并不应低于 0.2MPa。
    4 发泡器的安装位置距灌注点的水平距离不宜超过 200m，

向上垂高不得大于20m。

　　5 三相泡沫输送管路以及采空区预埋管路的直径不应小于108mm,采空区预埋管路应采取防堵塞措施。

4.5.2 三相泡沫材料组分选择应符合下列规定：

　　1 制备三相泡沫的灌浆材料应符合本规范第4.2.4条的规定,浆液的土(灰)水比倒数宜为4～6。

　　2 气源应采用氮气或空气。

　　3 发泡剂不得具有可燃性、助燃性、毒性、辐射性、刺激性等。

4.5.3 三相泡沫的灌注应符合下列规定：

　　1 倾斜条带采煤工作面宜在运输巷、工作面回风巷同时进行灌注。

　　2 走向长壁采煤工作面可在标高较高的顺槽单独进行灌注。

　　3 防治巷道高冒火区、封闭火区可采用施工钻孔进行灌注。

4.5.4 日灌注三相泡沫的浆液量可取日灌浆量的1/5～1/3。

4.5.5 日灌注三相泡沫的用气量可按下式计算：

$$Q_s = Q_j \times n_s \quad (4.5.5)$$

式中：Q_s——日灌注三相泡沫的用气量(m^3/d)；

　　　Q_j——日灌注三相泡沫的浆液量(m^3/d)；

　　　n_s——发泡剂的发泡倍数,可取30。

4.5.6 每日制浆所需的发泡剂量可按下式计算：

$$Q_f = Q_j \times n_j \quad (4.5.6)$$

式中：Q_f——添加发泡剂量(m^3/d)；

　　　n_j——发泡剂添加比例,可取0.5%。

4.5.7 三相泡沫日灌注时间应按下式计算：

$$t = \left(1 + \frac{1}{n_s}\right)\frac{Q_s}{n_d Q_h} \quad (4.5.7)$$

式中：n_d——灌注点数；

　　　Q_h——三相泡沫的小时灌注量,可取300(m^3/h)。

5 井下火灾检测及监控

5.1 观测点设置及仪器配备

5.1.1 发火观测点设置应符合下列规定：

　　1 开采容易自燃及自燃煤层的矿井，在回采工作面进、回风巷、采区回风巷等地点，应设置发火观测点。

　　2 开采容易自燃煤层的矿井还应在煤层掘进工作面、采区回风巷等地点设置发火观测点。

　　3 发火观测点应选择在围岩及风流稳定、前后 5m 范围内断面无变化、支护完好的巷道内。

5.1.2 发火观测点观测内容可包括一氧化碳、二氧化碳、甲烷、氧等气体成分和气温、水温等。

5.1.3 矿井应配备一氧化碳、温度、煤自燃性测定仪等仪器仪表，其种类和数量应符合现行国家标准《矿井通风安全装备标准》GB/T 50518 的有关规定。

5.2 监测监控

5.2.1 开采容易自燃、自燃煤层时，采煤工作面回风巷必须设置一氧化碳传感器。

5.2.2 开采容易自燃、自燃煤层的采区回风巷、一翼回风巷、总回风巷，应设置一氧化碳传感器，并宜配备温度传感器。

5.2.3 自然发火观测点、封闭火区防火墙栅栏外，宜设置一氧化碳传感器、温度传感器和声光报警器。

5.2.4 带式输送机滚筒下风侧 10m～15m 处应设置烟雾传感器和声光报警器，并宜配备一氧化碳传感器。发生火灾时，应能实现报警、急停、自动喷水。

5.2.5 开采容易自燃、自燃煤层及地温高的矿井采煤工作面应设置温度传感器。

5.2.6 抽放容易自燃和自燃煤层的采空区瓦斯时,在工作面回风巷宜设置一氧化碳传感器和温度传感器。

5.2.7 电缆密集场所和主要带式输送机,宜设置具有实时温度监测功能的线型光纤感温火灾探测系统。

5.3 束管监测系统

5.3.1 开采容易自燃及自燃煤层的矿井,应设置自然发火束管监测系统。

5.3.2 束管监测系统的监测点应设置在采煤工作面上隅角、回风侧采空区内部、密闭区,以及其他可能自然发火的巷道中。

5.3.3 束管监测系统应主要检测甲烷、一氧化碳、二氧化碳、氧气、乙烯,以及其他煤层自然发火标志气体。

5.3.4 束管管路敷设应符合下列规定:

　　1 束管应用吊钩悬挂,并应与动力、通信、信号等电缆分挂在巷道两侧。

　　2 管路系统应采取防砸坏、防漏气、防积水、防堵塞等措施,地面管路还应采取防冻措施。

6 防灭火设施及器材

6.1 井下防灭火器材

6.1.1 硐室灭火器选择应符合下列规定：

1 可能发生固体物质火灾的硐室，应选择水型灭火器、磷酸铵盐干粉灭火器或泡沫灭火器；

2 可能发生液体火灾或可熔化固体物质火灾的硐室，应选择泡沫灭火器、碳酸氢钠干粉灭火器、磷酸铵盐干粉灭火器或二氧化碳灭火器；

3 可能发生气体火灾的硐室，应选择磷酸铵盐干粉灭火器、碳酸氢钠干粉灭火器或二氧化碳灭火器；

4 可能发生物体带电燃烧的硐室，应选择磷酸铵盐干粉灭火器、碳酸氢钠干粉灭火器或二氧化碳灭火器，不得选用装有金属喇叭喷筒的二氧化碳灭火器。

6.1.2 硐室灭火器规格应符合表 6.1.2 的规定。

表 6.1.2 灭火器规格

灭火器类型		水型		干粉型		泡沫型		二氧化碳	
		手提式	推车式	手提式	推车式	手提式	推车式	手提式	推车式
灭火剂充装量	容量(L)	6、9	45、60	—	—	6、9	45、60	—	—
	重量(kg)	—	—	6、8、10	50、100	—	—	5、7	20、30

6.1.3 硐室内灭火器配备应符合下列规定：

1 每个硐室应配备 2 具～6 具灭火器，可能发生液体火灾的硐室应设置砂箱，其体积不小于 $0.5m^3$。

2 设置液压装置、贮存油类的硐室和爆破材料库，应设置不少于1具推车式灭火器。

3 同一硐室选用两种及以上类型灭火器时,应选用灭火剂相容的灭火器。

4 硐室内灭火器应设置在明显和便于取用的地点,且不得影响安全疏散。

6.2 消防材料库及器材配备

6.2.1 井上消防材料库应设置在井口附近,消防器材运输应直达井口,但不得设在井口房内。

6.2.2 井下消防材料库应设置在每个生产水平的井底车场或主要运输大巷中,并应装备消防列车。

6.2.3 井上、井下消防材料库主要器材配置应符合本规范附录A的规定。

附录 A 井上、井下消防材料库主要器材配置

A.0.1 井上消防材料库主要器材配置应符合表 A.0.1 的规定。

表 A.0.1 井上消防材料库主要器材配置

序号	器材名称	规格	单位	配置数量 井型 小型	中型	大型	备注
1	清水泵	流量≥10m³/h	台	1	1	1	或存放于设备库中
2	泥水泵	流量≥10m³/h	台	1	2	2	
3	消火水龙带	接口与井下消火阀门立柱出口匹配	m	600	700	800	—
4	多用消火水枪	接口与消火水龙带口径匹配	支	7	8	9	直流+喷雾
5	高倍数泡沫发生装置	发泡量≥200m³/min	套	1	1	1	或存放于设备库中
6	消防泡沫喷枪	发泡量≥1.5m³/min	套	1	2	2	
7	高倍数泡沫剂	发泡倍数≥500	t	0.3	0.4	0.5	
8	消防泡沫剂	发泡倍数≥15	t	0.1	0.2	0.2	
9	分流管	与井下洒水管快速接头匹配	个	2	3	4	—
10	集流管	与井下洒水管快速接头匹配	个	1	2	2	—

续表 A.0.1

序号	器材名称	规格	单位	配置数量 井型 小型	中型	大型	备注
11	消火三通	—	个	2	3	4	根据井下不同管径分别配备
12	阀门	—	个	2	3	4	
13	快速接头及帽盖垫圈	与井下洒水管快速接头匹配	套	70	80	90	—
14	管钳子	适用于井下各种消防管路	把	4	6	8	—
15	折叠式帆布水箱	≥15L	个	2	2	2	—
16	救生绳	长20m	根	2	3	4	—
17	伸缩梯	高度4m	副	1	1	1	—
18	普通梯	绝缘	副	1	2	2	—
19	泡沫灭火器	9L	个	15	20	25	—
20	CO_2灭火器	7kg	个	6	8	10	—
21	干粉灭火器	8kg	个	10	12	14	—
22	喷雾喷嘴	与井下洒水管快速接头匹配	个	2	3	4	—
23	泡沫灭火器起泡药瓶	500ml	个	15	20	25	硫酸铝溶液
		500ml	个	15	20	25	碳酸氢钠溶液
24	灭火岩粉	粒度<0.3mm	kg	300	400	500	—
25	石棉毯	≥1m×1m	块	3	4	5	—
26	风筒布	矿用阻燃	m	300	400	500	—

续表 A.0.1

序号	器材名称	规格	单位	配置数量 井型 小型	中型	大型	备注
27	水泥	强度等级≥42.5	t	3	4	5	—
28	水玻璃	工业级	t	1	1	1	—
29	石灰	普通石灰	t	2	3	4	—
30	速接钢管	根据井下不同管径分别配备	节	100	120	150	每节10m
31	胶管	—	m	1000	1200	1500	根据井下不同管径分别配备
32	局扇	28kW	台	2	3	3	—
		11kW	台	2	3	3	—
33	接管工具	KJ-20-46	套	2	3	4	—
34	单相变压器	容量≥10kV·A	台	2	3	3	—
35	电力开关	QBZ	台	2	3	3	—
36	电缆	矿用阻燃	m	300	400	500	—
37	玻璃棉	—	kg	500	800	1000	—
38	风镐	—	台	1	2	2	—
39	安全带	承载500kg	条	3	4	5	—
40	镀锌钢丝绳	ϕ12mm	m	100	150	200	—
41	潜水泵	—	台	1	2	2	或存放于设备库中

A.0.2 井下消防材料库主要器材配置应符合表A.0.2的规定。

表 A.0.2 井下消防材料库主要器材配置

序号	器材名称	规格	单位	配置数量			备注
				小型	中型	大型	
1	消火阀门立柱	接口与井下洒水管快速接头匹配	个	2	3	4	—
2	消火水龙带	接口与消火阀门立柱出口匹配	m	600	700	800	—
3	多用消火水枪	接口与消火水龙带口径匹配	支	4	4	4	直流+喷雾
4	变径管节	—	个	10	12	14	根据井下不同管径逐级配备
5	喷嘴	与井下洒水管快速接头匹配	个	28	28	28	—
6	分流管	与井下洒水管快速接头匹配	个	3	3	3	
7	集流管	与井下洒水管快速接头匹配	个	2	2	2	
8	垫圈	—	套	50	60	70	根据井下不同管径分别配备
9	钢管		m	600	700	800	
10	胶管		m	600	700	800	
11	管钳子	适用于井下各种消防管路	把	2	4	6	管件维修安装
12	接管工具	KJ-20-46	套	2	2	2	—
13	救生绳	长20m	根	2	3	4	
14	伸缩梯	高度≥4m	副	1	1	1	

续表 A.0.2

序号	器材名称	规格	单位	配置数量 井型 小型	中型	大型	备注
15	泡沫灭火器	9L	个	15	20	25	—
16	CO_2灭火器	7kg	个	6	8	10	—
17	干粉灭火器	8kg	个	6	8	10	—
18	喷雾喷嘴	与井下洒水管快速接头匹配	个	2	3	4	—
19	泡沫灭火器起泡药瓶	500ml	个	15	20	25	硫酸铝溶液
19	泡沫灭火器起泡药瓶	500ml	个	15	20	25	碳酸氢钠溶液
20	灭火岩粉	粒度<0.3mm	kg	300	400	500	—
21	石棉毯	≥1m×1m	块	2	3	4	—
22	风筒布	矿用阻燃	m	300	400	500	—
23	水泥	强度等级≥42.5	t	1.0	1.5	2	—
24	石灰	普通石灰	t	1.0	1.5	2	—
25	安全带	承载500kg	条	3	4	5	—
26	绳梯	负载100kg	副	2	2	2	—
27	镀锌钢丝绳	φ12mm	m	100	150	200	—
28	麻袋或塑料纺织袋	107cm×74cm	条	300	400	500	—
29	砖	240mm×115mm×53mm	块	2000	3000	4500	—
30	砂子	细砂	m³	2	2	3	—
31	圆木	长3m,φ10cm	m³	1.5	1.5	2	—

续表 A.0.2

序号	器材名称	规格	单位	配置数量			备注
			井型	小型	中型	大型	
32	木板	厚15mm~30mm	m³	3	4	5	—
33	铁钉	2″、3″、4″	kg	15	15	20	—
34	斧头	防爆铜斧	把	2	2	2	—
35	平板锹	铜质	把	3	4	5	—
36	手动水泵	流量≥10m³/h	台	1	1	1	—
37	水桶	50L	个	3	4	5	—
38	矿车	1t或1.5t标准矿车	辆	8	8	8	采用轨道运输的矿井配备。综采配1.5t，普采及炮采配1t

本规范用词说明

1 为便于在执行本规范条文时区别对待，对要求严格程度不同的用词说明如下：

1）表示很严格，非这样做不可的：
正面词采用"必须"，反面词采用"严禁"；

2）表示严格，在正常情况下均应这样做的：
正面词采用"应"，反面词采用"不应"或"不得"；

3）表示允许稍有选择，在条件许可时首先应这样做的：
正面词采用"宜"，反面词采用"不宜"；

4）表示有选择，在一定条件下可以这样做的，采用"可"。

2 条文中指明应按其他有关标准执行的写法为："应符合……规定"或"应按……执行"。

引用标准名录

《煤炭工业矿井设计规范》GB 50215
《煤矿瓦斯抽采工程设计规范》GB 50471
《矿井通风安全装备标准》GB/T 50518
《煤矿用带式输送机　安全规范》GB 22340
《煤矿用非金属瓦斯输送管材安全技术要求》AQ 1071
《瓦斯管道输送自动喷粉抑爆装置通用技术条件》AQ 1079
《煤矿井下用聚合物制品阻燃抗静电性通用试验方法和判定规则》MT 113
《煤矿注浆防灭火技术规范》MT/T 702
《煤矿用电缆》MT 818.1～MT 818.13
《煤矿用阻燃电缆　第3单:煤矿用阻燃通信电缆》MT 818.14
《煤矿井筒装备防腐蚀技术规范》MT/T 5017

中华人民共和国国家标准

煤炭矿井设计防火规范

GB 51078-2015

条文说明

制订说明

《煤炭矿井设计防火规范》GB 51078—2015，经住房城乡建设部 2014 年 12 月 31 日以建设部第 702 号公告批准发布。

为便于各单位和有关人员在使用本规范时能正确理解和执行本规范，《煤炭矿井设计防火规范》编制组按章、节、条顺序编制了本规范的条文说明，对条文规定的目的、依据以及执行中需要注意的有关事项进行了说明，并对强制性条文的强制性理由作了解释。但是，本条文说明不具备与标准正文同等的法律效力，仅供使用者作为理解和把握标准规定的参考。

目 次

3 外因火灾防治 …………………………………………（39）
　3.1 一般规定 …………………………………………（39）
　3.2 电气火灾预防措施 ………………………………（41）
　3.3 其他火灾预防措施 ………………………………（42）
4 内因火灾防治 …………………………………………（44）
　4.1 一般规定 …………………………………………（44）
　4.2 灌浆 ………………………………………………（45）
　4.3 注氮 ………………………………………………（50）
　4.4 喷施阻化剂 ………………………………………（54）
　4.5 灌注三相泡沫 ……………………………………（55）
5 井下火灾检测及监控 …………………………………（57）
　5.1 观测点设置及仪器配备 …………………………（57）
　5.2 监测监控 …………………………………………（57）
　5.3 束管监测系统 ……………………………………（58）
6 防灭火设施及器材 ……………………………………（59）
　6.1 井下防灭火器材 …………………………………（59）
　6.2 消防材料库及器材配备 …………………………（60）

3 外因火灾防治

3.1 一般规定

3.1.1 本条为强制性条文,必须严格执行。本条是关于井下消防洒水管路系统和矿井反风系统设施(包括主扇反风设施和井下反风设施)的规定,依据《煤矿安全规程》(2011版)和现行国家标准《煤矿井下消防、洒水设计规范》GB 50383和《矿井防灭火规范》(试行)第29条要求制定。

一般说来,用水扑灭各类火灾(电气火灾、油类火灾等除外)是一种经济实用且有效的措施。在煤矿井下,一则可以对煤层和高温地点等发火隐患实施注水,防止和减少内因火灾的发生;二则无论内因火灾还是外因火灾发生后,可采用浇水、灌浆(泥、灰等)等措施进行灭火。水是煤矿防灭火管理工作中不可缺少的最基本的防灭火材料。

矿井反风是在矿井发生灾变时的一项重要而有效的风流调度救灾措施。特别是在矿井入风井筒、井底车场、入风大巷等进风巷道发生矿井火灾(多为外因火灾)时,高温烟流和有害气体对井下作业人员的安全构成严重威胁。此时,可以采取矿井反风措施,使火灾烟流由进风井筒排出,从而保证井下人员的安全撤离和缩小灾害范围。

1961年3月16日16时58分,抚顺胜利矿西部-280m水泵房高压配电室2号电容爆炸起火,并很快窜出泵房进入-280m水平入风大巷、两个采区的入风巷道及其工作面,导致110人一氧化碳中毒死亡。这是新中国成立以来伤亡人员最多的火灾事故。

1974年12月14日22时10分,抚顺胜利矿2号进风斜井距井口560m处(该处上下350m为木板支护)铝芯电缆接线盒短路引起火灾，井下1500人的生命安全受到严重威胁。紧急情况下指挥部决定下令反风（东西翼主要通风机分别于23时12分和23时18分完成反风），三条进风斜井全部变为回风，火焰冲出井口将天轮烧坏，但井下无一人伤亡。

从以上两例可见矿井装设反风设施的必要性。

3.1.2 本条是关于防火门设置的规定。

1 依据《煤矿安全规程》（2011版），进风井口应安设防火铁门，其目的是为了防止进风井口及附近一旦发生外因火灾时，产生的烟雾及有害气体在矿井通风压力作用下，进入井下威胁矿井安全和对人员造成伤害。

2 依据《煤矿安全规程》（2011版），采用压入式通风的矿井，为了防止地面火灾进入暖风道或风硐引发更大火灾，规定暖风道和压入式通风的风硐应至少装设2道防火门。

3 依据《煤矿安全规程》（2011版），井下机电设备硐室应装设向外开的防火铁门，其目的是一旦硐室内部发生电气火灾时便于人员撤离，并防止人员拥挤在门口处而打不开防火门，延误人员撤离火区。在设置防火铁门时，铁门上应装设便于关严的通风孔，在正常情况下便于控制硐室通风量，在意外火灾情况时便于隔绝通风。

3.1.3 本条为强制性条文，必须严格执行。本条是关于井架和井口房建筑材料的规定，依据《煤矿安全规程》（2011版）制定。井架、井口房及其周围的各种建筑是煤矿的要害和重要建筑物，其内安设着担负矿井原煤、矸石、材料和人员提升任务的主要设备。若采用可燃性材料构筑，一旦发生外因火灾，不仅这些建筑物和里面的各种设备会被烧毁，造成矿井生产中断，而且火灾产生的烟雾及有害气体进入井下，威胁井下所有人员的生命安全而酿成重大灾害事故。例如，1962年6月3日，抚顺胜利矿立井东侧翻矸台动力电缆短路冒火，引燃井架内部的可燃物发生火灾，将吊桶大绳烧断，在吊桶内的4名工人遇难。因此规定，"新建矿井的永久井架和井口房、以井口为中心的联合建筑，必须采用不燃性材料建筑"。

3.1.4 本条是关于井巷支护材料选择的规定。

1 本款为强制性条文,必须严格执行。本款依据《煤矿安全规程》(2011版)制定。

首先,井筒、井底车场等地点经常有提升运输设备频繁运行和敷设多条管路、高压电缆等设施,发生撞击、摩擦和电火花的概率较大。如果采用可燃性材料支护,就可能引起火灾,而且这些地点都处在矿井的入风系统,发火造成的危害也较为严重。例如,1974年12月14日,抚顺胜利矿2号入风斜井距井口560m处铝芯电缆接线盒短路起火,引燃井筒的支护材料(该处上下350m为木背板支护)酿成火灾,烈火与浓烟顺风而下,直接威胁井下1500人的生命安全,采取了矿井反风措施后,人员才安全无恙。

其次,这些地点采用不燃性材料支护,还可以起到隔离带的作用。2001年2月3日18时30分,抚顺老虎台矿-680m水平高压电硐室油浸变压器着火,并很快沿-680m入风大巷向东燃烧,浓烟滚滚,直接威胁上部-630m生产水平所有工人的生命安全,大火向前燃烧30m时遇到了料石砌碹支护,巷道内没有可燃物质,大火被截住再没有向前燃烧。由于抓住了这一灭火良机并及早撤出了受威胁的人员,没有造成人员伤亡。

2 本款为强制性条文,必须严格执行。本款依据《煤矿安全规程》(2011版)制定。

采用压入式通风的矿井,为了防止地面火灾进入暖风道或风硐内引发更大火灾,规定"暖风道和压入式通风的风硐必须采用不燃性材料砌筑"。

3 本款依据《煤矿安全规程》(2011版)制定。

3.2 电气火灾预防措施

3.2.1 本条第2款为强制性条文,必须严格执行。该款是关于变压器或发电机中性点不得直接接地的规定,依据《煤矿安全规程》(2011版)制定。变压器中性点接地供电方式具有以下优点:一台变压器可以输出两种电压,即线电压和相电压;三相对地电压不大于相电压;不能存在短路接地故障和限制了三相对地分布电容等。但也存在以下问题:

(1)人身触电电流大,对人身触电构成威胁大;

(2)单相接地短路电流大,容易引起供电设备和电缆损坏或爆炸着火事故;同时,接地点产生很大电弧,容易引起瓦斯和煤尘爆炸事故;

(3)容易引起电雷管先期引爆。

以上问题对煤矿构成威胁太大。采用变压器中性点不接地供电方式,安装漏电保护装置和使用屏蔽电缆,可以避免漏电和相间短路故障。我国从1955年起即采用变压器中性点不直接接地供电系统,实践证明可以实现安全运行。

3.2.4 本条文的规定,主要有以下原因:

1 在总回风巷和专用回风巷的风流中瓦斯浓度相对较高、相对湿度较大、腐蚀性气体含量高,使电缆寿命缩短、故障率增高,一旦电缆出现电气故障、产生电火花,势必引起瓦斯爆炸。而且总回风巷和专用回风巷中的煤尘沉积量较大,瓦斯爆炸后更可能引起煤尘爆炸,将会造成矿毁人亡的重大事故。

在总回风巷和专用回风巷中瓦斯浓度达到断电浓度时,敷设在其中的电缆必须停电,导致停电区域无法生产,当发生火灾时,也无法抢险救灾。因此,在总回风巷和专用回风巷中不应敷设电缆。

2 在有瓦斯抽放管路的巷道内,电缆与瓦斯抽采管路分别挂在巷道两侧是为了避免电缆漏电电流产生的火花引爆或引燃瓦斯。本款为强制性条文,必须严格执行。

3.3 其他火灾预防措施

3.3.1 本条根据《煤矿安全规程》(2011版)的规定和《煤矿用带式输送机安全规范》GB 22340制定。

3.3.2 本条说明如下:

1 抽采管路管材选择目前可考虑金属管材和非金属管材,但近年在山西、重庆等地已发生抽采管道内发生瓦斯爆炸和燃烧事件数次,因此本规范推荐选择金属管材。若选用非金属管材,其表面电阻很大,所产生的静电很难泄放入地,只能在表面积聚,因而形成很高的静电电位,威胁矿井生产安全。因此其抗静电、阻燃等性能应符合现行行业标准《煤矿用非金属瓦斯输送管材安全技术要求》AQ 1071 的要求。

2、3 这两款依据现行国家标准《煤矿瓦斯抽采工程设计规范》GB 50471 的有关规定制定。

4 本款依据现行行业标准《煤矿低浓度瓦斯管道输送安全保障系统设计规范》AQ 1076 的有关规定制定。

3.3.3 本条依据现行国家标准《煤矿瓦斯抽采工程设计规范》GB 50471 的有关规定制定。

3 本款为强制性条文,必须严格执行。井下泵站硐室内安设有瓦斯抽采泵,并布置有相应的电器设备,同时敷设有瓦斯抽采主干管路,当瓦斯抽采泵因故停运或管路出现泄露时,井下泵站硐室有可能积聚瓦斯,引起泵站硐室内瓦斯爆炸燃烧,将造成井下人员、财产的重大损失。因此要求井下泵站硐室必须有独立的进风巷和通风系统,使进入井下泵站硐室的风流直接排入采区回风巷或总回风巷。

3.3.4、3.3.5 这两条依据现行行业标准《煤矿用防爆柴油机无轨胶轮车安全使用规范》AQ 1064 的有关规定制定。

3.3.6 目前国内外普遍认为积炭及润滑油的分解物是燃爆的内因,温度升高是燃爆的外因,即主要由温度过高和积炭层氧化放热反应所产生的混合爆炸性气体引起空气压缩机及管道系统燃爆发火。本条从选型设计角度对空气压缩机选择、布置及管道系统布置方面防止空气压缩机及管道系统燃爆发火事故的发生作了规定。

4 内因火灾防治

4.1 一般规定

4.1.1 本条依据《煤矿安全规程》(2011版)的要求制定。煤的自燃倾向性分为容易自燃、自燃、不易自燃三类。煤层自燃倾向性测定应按现行国家标准《煤自燃倾向性色谱吸氧鉴定法》GB/T 20104 执行,测试分析仪器为 ZRJ-1 自燃倾向性鉴定仪。其原理是依据每克干煤在常温(30℃)、常压(101325Pa)下的物理吸附氧量(V_d)及试样挥发份按表1、表2对煤的自燃倾向性类别进行划分。

表 1　干燥基无灰挥发分($V_{daf} > 18\%$)自燃倾向性分类

自燃倾向性等级	自燃倾向性	煤吸氧量 V_d(cm^3/g 干煤)
Ⅰ	容易自燃	$V_d > 0.70$
Ⅱ	自燃	$0.40 > V_d \leqslant 0.70$
Ⅲ	不易自燃	$\leqslant 0.40$

表 2　干燥基无灰挥发分($V_{daf} \leqslant 18\%$)自燃倾向性分类

自燃倾向性等级	自燃倾向性	煤吸氧量 V_d(cm^3/g 干煤)	全　硫
Ⅰ	容易自燃	$\geqslant 1.00$	$\geqslant 2.00$
Ⅱ	自燃	< 1.00	
Ⅲ	不易自燃	—	< 2.00

4.1.2 本条依据《煤矿安全规程》(2011版),结合现行行业标准《煤矿建设项目安全设施设计审查和竣工验收规范》AQ 1055 的有关规定,对《矿井防灭火规范》(试行)进行修改后制定。

1 本款为强制性条文,必须严格执行。容易自燃煤层发火期短,采用放顶煤开采厚及特厚煤层时,由于回采率较低,其采空区遗留碎煤较多,采空区存在漏风通道,而且没有主风流通过,风速不大不小,又很少受外界影响,有煤炭氧化升温和热量积蓄的环境,具备煤炭自然发火的三个条件(可燃性的碎煤堆积、足够的供氧条件、热量积蓄的环境和时间),极易出现发火隐患引发火灾。事实也证明,许多内因火灾大多数是在这些地点引发的。虽然预防性灌浆是防止自然发火效果较为明显和应用最为广泛的一项措施,但近年来随着煤矿开采技术的提高,高产高效工作面逐渐增多,工作面长度越来越大(300m 以上)。当在工作面上顺槽预埋管道灌浆时,浆液不可能淌满整个工作面,浆液覆盖工作面宽度一般在 100m 左右,此时若继续灌注,浆液不会沿工作面继续流淌,而可能从工作面支架后方流向回采工作面,因此仅靠灌浆单一措施很难满足防止自然发火的目的。因此规定必须建立以灌浆为主的两种及以上综合防灭火系统。

4.1.3 本条依据《煤矿安全规程》(2011 版)、《矿井防灭火规范》(试行)、现行行业标准《煤矿建设项目安全设施设计审查和竣工验收规范》AQ 1055 的有关规定制定。

4.1.4 本条依据《煤矿安全规程》(2011 版),结合现行行业标准《煤矿建设项目安全设施设计审查和竣工验收规范》AQ 1055,对《矿井防灭火规范》(试行)的有关规定修改而成。

4.1.5 本条依据《矿井防灭火规范》(试行)中的部分内容而制定。

4.1.6 本条依据现行行业标准《煤矿建设项目安全设施设计审查和竣工验收规范》AQ 1055 及《矿井防灭火规范》(试行)内容而制定。

4.2 灌 浆

4.2.1 本条内容对灌浆系统选择进行了规定。集中灌浆系统优点是工作集中,便于管理;人员少,效率高;占地少;缺点是初期投资大,建设时间长,采、运灌浆材料工作比较复杂;主要适用矿井灌浆量大,且灌浆地点集中,取运材料距离较远的矿井。分区灌浆系统优点是建设速度快,投资少;缺点是灌浆站分散,管理分散,人员多,占用土地多;主要适用灌浆地点分散,灌浆材料丰富可就地开采,取运材料方便的矿井。井下移动灌浆系统优点是机动灵活,灌浆距离短,管材消耗少,且发生堵管的机会小;缺点是生产能力低,管理分散,效率低。主要适用灌浆量不大,地面输送浆液困难的矿井。

4.2.2 本条对地面灌浆站位置选择进行了规定。

1 地面灌浆站位置要便于制浆材料(如黄土、粉煤灰等材料)和水等运输到地面灌浆站,同时,灌浆站浆液制成后,要便于向井下各灌浆点运送。

2 地面灌浆站与矿井场地联合布置,制浆材料等可利用矿井场地公路运输,灌浆站所需的水、电等外部资源可利用矿井场地内的,同时有利矿井集中管理。因此,条件许可宜与矿井场地联合布置,但应避免对场地内其他设施造成不利影响。

4.2.3 本条对地面灌浆站设置进行了规定。

1 地面灌浆站设置应满足所选浆液制备工艺和所选制浆、灌浆设备布置条件和要求。

2 本款对储料场设置进行了规定。为确保矿井灌浆的连续性,防止灌浆材料因运输等原因不能及时运输至地面灌浆站,故考虑储料场存储不小于3d的灌浆材料。

3 本款对储浆池设置进行了规定。由于制浆设备能力与输浆设备能力常不一致,一般应设置储浆池对浆液进行调节。当采用输浆泵输浆时,为保护输浆泵,对储浆池容积也有一定要求,不宜过小。当采用双池搅拌制浆且制浆池交替使用时,制浆池可视为储浆池。

4.2.4 本条规定了灌浆材料的选择,依据现行国家标准《煤炭工业矿井设计规范》GB 50215和现行行业标准《煤矿注浆防灭火技术规范》MT/T 702的有关规定制定。

根据现行行业标准《煤矿注浆防灭火技术规范》MT/T 702的

有关规定,灌浆材料主要包括黄土、页岩、煤矸石、粉煤灰、沙子、水泥等惰性材料,灌浆添加剂主要包括悬浮剂、胶凝剂、增稠剂、减水剂等。

4.2.5 本条内容是关于灌浆浆液制备工艺的选择。机械搅拌制浆应建立浆池,灌浆材料加水在浆池中搅拌成均匀浆液后即可输入井下。浆池应设2个以上,一个作注浆用,另一个进行搅拌制浆,交替使用。浆池的容积应能保证注浆量的要求。自动化机械搅拌制浆采用机械化成套装置,把灌浆材料和水定量混合制成浆液,在制浆过程中要保证浆液配比和流量稳定可靠。水力制浆一般采用人工取土或机械取土(灰),将土(灰)疏松,经水力(水枪)冲刷混合成浆。或采用水枪直接取土成浆。水力制浆对土水比和成浆性能指标难以控制,故不推荐采用水力制浆工艺。

4.2.6 本条内容是关于灌浆方法的选择。随采随灌,即随着采煤工作面的推进同时向采空区灌浆,其目的和作用:一是防止采空区遗煤自燃,二是胶结冒落的矸石,形成再生顶板而为下分层开采创造条件。对于开采容易自燃煤层和自燃煤层,随采随灌是一项有效的预防煤层自燃的措施。随采随灌根据采区巷道布置情况的不同而多种多样,如埋管灌浆、钻孔灌浆和洒浆等。

4.2.7 灌浆量计算依据现行行业标准《煤矿注浆防灭火技术规范》MT/T 702的有关规定编制。

工作面上顺槽预埋管道灌浆,浆液从管道出口沿工作面倾向和走向自流扩散,为确保浆液沿走向不扩散流入工作面采场,影响工作面正常生产,则浆液沿工作面倾向自流扩散宽度一般不大于100m;如果需要增加灌浆宽度,需要在工作面支架后埋管灌浆,不仅会增加劳动强度,还会影响工作面正常生产。因此工作面灌浆宽度W取值可按照工作面宽度小于100m时取工作面宽度,大于100m时取100m。采用灌浆不能预防工作面发火的区域可增加灌注三相泡沫、注氮等措施。

覆盖厚度是指灌浆材料覆盖层厚度,其取值可根据煤层厚度、煤的自燃倾向性进行适当调整取值。煤层厚度厚的容易自燃煤层取大值；煤层厚度薄的自燃煤层取小值。具体取值可参考表3。

表3 覆盖厚度取值

类 别	薄煤层(m)	中厚煤层(m)	厚煤层(m)
自燃煤层	0.05～0.10	0.10～0.15	0.15～0.20
容易自燃煤层	0.10～0.15	0.15～0.20	0.20～0.25

灌浆添加剂防灭火效率因子的值一般设计时取1，在缺水地区和计算灌浆量特别大的矿井，设计时可考虑添加灌浆添加剂以减少浆液量达到灭火效果。灌浆添加剂防灭火效率因子的取值可根据所选灌浆添加剂的性能指标和实际应用效果取得。

矿井灌注时间指灌浆系统每日向井下灌浆的时间。矿井每日灌浆时间一般不超过8h，最多不宜超过10h。

中煤科工集团重庆研究院在修订《煤矿注浆防灭火技术规范》MT/T 702时，对该公式计算结果与现场实际灌浆量进行了对比，发现该公式能满足矿井灌浆防灭火需要。如神华集团乌达黄白茨矿业有限责任公司根据其煤层特性和开采条件，按公式计算矿井最大灌浆量为62.88 m^3/h，矿井实际制浆量能力为60 m^3/h，满足了矿井实际灌浆防灭火需要。神华集团乌达五虎山矿业有限责任公司按公式计算矿井最大灌浆量为61.52 m^3/h，矿井实际制浆量能力为60 m^3/h，也满足了矿井实际灌浆防灭火需要。

4.2.8 本条对输浆管道管径选择进行了规定。当输浆管道内径大于临界直径时，浆液流速小于临界流速，浆液中颗粒易发生沉积，堵塞输浆管道。故输浆管道内径选择不应大于临界直径。条文中给出的临界直径计算公式为现行行业标准《煤矿注浆防灭火技术规范》MT/T 702中规定使用的公式。各种手册中均有按钢管给出的水的摩阻系数值，故推荐使用。

4.2.9 输浆管路总水头损失为灌浆站至灌浆点各段管道的沿程水头损失与局部水头损失之和。当输浆管路系统中含有管径不同的输浆管道时，不同管径输浆管道的水头损失应分别计算。条文中给出的输浆管路水力坡降计算公式为现行行业标准《煤矿注浆防灭火技术规范》MT/T 702中规定使用的公式。

4.2.10 输浆需要总压力为管道总水头损失和注浆管道末端剩余水头之和。当制浆站浆池位置高于用浆点位置,且其高差形成的静压大于输浆所需总压力时,可不设输浆泵。当无法满足静压输浆要求时,应加压输浆。

4.2.11 本条对输浆泵的选用、备用进行了规定。

1 本款中给出的输浆泵清水扬程计算公式为现行行业标准《煤矿注浆防灭火技术规范》MT/T 702中规定使用的公式。

3 考虑到灌浆防火的安全性要求,规定按工作能力最大的一台工作泵进行备用。

4.2.12 本条文对输浆管道管径、管材、敷设及防腐等进行了规定。

1 考虑到输浆管道一般具有承受压力较大、安装拆卸较为频繁、易受碰撞等特点,需要一定的耐磨损性能,故推荐使用钢管。管材及管件承压等级应满足使用要求。

3 为避免停止输浆后浆液在管道凹处滞留,固体颗粒沉积并堵塞管道,故提出管道敷设不宜出现两边高、中间低的凹型管段。

4 现行行业标准《煤矿井筒装备防腐蚀技术规范》MT/T 5017对包括井筒内管道在内的井筒装备防腐蚀设计作了规定。除井筒外,一般井下巷道内输浆管道防腐应在对管道和管件进行严格的预处理后涂以适合井下环境的防护涂料。

4.2.13 本条对疏水系统进行了规定。

1 灌入采空区的浆液中脱出的水一部分被围岩吸收,一部分滞留在灌浆区的下部空间。在灌浆区下部密闭墙的底部设置排水孔或溢水孔,对灌浆区内的积水进行排泄,并随时观察这些密闭墙的排水量的变化情况。

2 灌浆区下部采掘前为防止灌浆区引发溃浆,应采取打钻孔等措施对灌浆区进行泄水。

4.3 注 氮

4.3.1 本条是关于注氮防灭火设计的基本要求,依据《煤矿安全规程》(2011版)和现行行业标准《煤矿用氮气防灭火技术规范》MT/T 701 的有关规定制定。

1 本款为强制性条文,必须严格执行。氮气是一种惰性气体,不助燃也不能供人呼吸。向采空区(或火区)等地点注入氮气,可起到十分明显的惰化采空区阻止煤炭氧化自燃、提高采空区的相对压力,使采空区呈正压状态,防止新鲜风流漏入,降低采空区温度,阻止煤炭氧化升温、降低瓦斯和氧气浓度防止瓦斯燃爆事故等的作用。实践证明,无论在防火还是在灭火方面,氮气较之与灌浆、阻化剂、均压等防灭火措施具有更多的优点,可以起到其他措施不可替代的作用。但在应用时必须严格遵守该条的相关规定,不然,可能由于注氮量过小、浓度过低等原因而达不到预期效果,输氮管路或采空区泄漏氮气而造成人员伤害(抚顺龙风矿就曾发生过氮气熏人事故)等。

无论选择何种制氮设备,采空区注入的氮气浓度均不得低于97%。采用空分深冷原理制取的氮气,其浓度不得低于99.5%,采用变压吸附和膜分离原理制取的氮气其浓度不得低于97%。

2 本款为强制性条文,必须严格执行。采空区注氮目的有三个,分别为预防自燃、灭火和抑制瓦斯爆炸。

采空区惰化防火指标:即煤的防火临界氧浓度。预防工作面采空区内煤炭自然发火,重点是将采空区氧化带进行惰化,使氧气浓度降到阻止煤炭氧化自燃的临界值以下,从而达到使氧化带内的煤炭处于不氧化或减缓氧化的状态。按煤炭氧化自燃的观点,采空区气体组分中除氧气外,氮气、二氧化碳等均可视为惰性气体,对煤炭的氧化起抑制作用。氧气是煤炭自燃的助燃剂,注氮后采空区氧化带内氧浓度的高低反映出注氮效果的好坏。国内外实验研究表明:当空气中氧气浓度降到7%~10%时煤就不易被氧化,因此注氮后采空区氧化带内氧气浓度应不大于7%,否则达不到预防采空区煤层自燃的目的。

采空区惰化灭火指标:即彻底扑灭火源并使其不再复燃的临界氧浓度。实验研究表明,气体成分中当氧气浓度低于5%时就能阻止煤炭的氧化和燃烧,因此,为防止采空区内可燃气体因明火而发生爆炸,将火区惰化指标定为氧气浓度不大于3%,否则将达不到消除采空区火灾的目的。

采空区惰化抑爆指标:即氧浓度降低到瓦斯失去爆炸条件时的临界氧浓度。实验表明,气体成分中当氧气浓度低于12%时就能达到抑制瓦斯爆炸的目的,否则将可能导致采空区瓦斯爆炸。

4.3.2 本条内容是关于制氮设备的选择。制氮方法主要有变压吸附制氮、膜分离制氮和深冷空分制氮等,目前国内主要使用变压吸附制氮和膜分离制氮设备,深冷空分制氮设备国内很少使用。膜分离制氮设备质量与国外产品存在一定差距,且膜分离制氮设备价格高,后期维护运行(膜组件更换)成本高,此外膜分离制氮对气源的除油、除水、除尘要求高。变压吸附制氮设备在技术上、经济上和后期维护上具有明显的优势,宜优先选择变压吸附制氮设备。

4.3.3 本条内容是关于制氮系统的选择。制氮系统一般分为地面固定式、地面移动式和井下移动式三类,通常根据井田范围大小、制氮装置能力大小及制氮装置服务范围等因素综合选择:

1 井下注氮地点相对集中、火灾隐患重、氮气需求量较大、制氮设备能力较大($>1000m^3/h$)、井下运输及安设不便,宜集中布置地面固定式。井下多个采区同时生产,各采区相对分散($>5km$),每一个采区氮气需求量较大,选择的制氮设备能力较大($>1000m^3/h$),井下运输及安设不便,宜分区布置地面固定式。

2 井下注氮地点分散、地表至井下工作面距离远($>5km$)、制氮设备能力较小($<1000m^3/h$)的矿井宜选择井下移动式。若制氮设备布置在平板车上,其长宽高尺寸应满足井下运输要求。

4.3.4 本条内容是关于注氮方式的选择。

注氮方式按注氮区域的状态可分为开放式注氮和封闭式注氮,按注氮时间分为连续性注氮和间歇性注氮。开放式注氮是指在通风的情况下实施注氮,多用于工作面防火;封闭式注氮是指对火区或火灾隐患区域实施封闭的情况下注氮,适用于已密闭区域内的防灭火,多用于灭火。通常利用密闭墙上预留的专用注氮管或密闭墙钻孔向封闭区内的火源点或火灾隐患实施注氮,达到防灭火的目的。

4.3.5 本条内容是关于注氮方法的选择。注氮方法分为埋管注氮、拖管注氮、钻孔注氮、插管注氮和密闭注氮等。

埋管注氮适用于采煤工作面回采过程中预防采空区浮煤自燃的注氮方法。在回采工作面回采过程中,于进风侧沿采空区内预先埋设一条专用注氮管路(其长度由考察确定)。当埋设一定长度后便开始进行防火注氮,同时再预埋第二条注氮管路,二者出氮口的距离可通过考察确定。当第二条管路的出口处于采空区氧化带和冷却带交界部位时,也就是两条注氮管路出口间的采空区为氧化带时,第二注氮口开始注氮,同时停止第一管路的注氮,并再重新预埋注氮管路。如此循环,直至工作面回采结束。

拖管注氮也适用于回采工作面采空区的防火。基本做法是在工作面回采过程中在进风侧采空区预埋一定长度的厚壁钢管专用注氮管路,并与注氮主管保持相连通,其长度由考察采空区自然发火三带变化的宽度来确定。当预埋管路的出口处于采空区氧化带位置时开始注氮,随着工作面的推进预埋的注氮管路也同步前移。其移动的方法主要是借助工作面液压支架或运输机头、机尾以及工作面进风巷的回柱绞车作牵引动力,使该管路始终处于采空区的氧化带内注氮。该法的主要优点是节省注氮管路,而且保证注氮的位置始终在采空区的氧化带内。其缺点是实施注氮过程中工作烦琐,而且要求配合性较强。

钻孔注氮只适用于具备条件的煤矿的防灭火,其基本方法是在地面或井下某巷道内向井下火灾或具有火灾隐患的区域内打钻孔,然后通过钻孔向该区实施注氮,达到灭火或防火的目的。

插管注氮适用于处理工作面起采线、停采线或巷道高冒顶的火灾。其方法是向火源处直接插管,实施注氮。

4.3.7 本条是关于单个回采工作面注氮量计算的有关内容,依据现行行业标准《煤矿用氮气防灭火技术规范》MT/T 701 的有关规定制定。回采工作面注氮量按采空区氧化带内的漏风量大小计算注氮量,其实质是通过注氮将漏入采空区氧化带内风流氧浓度降低到惰化防火指标以下。工作面采空区氧化带的漏风量一般可取 $5\ m^3/min \sim 20 m^3/min$。影响工作面采空区氧化带的漏风量主要有工作面风量、风阻、通风方式及采空区密闭性条件等因素,工作面风量越大、风阻越大、采空区密闭性条件越差,采空区氧化带的漏风量越大;工作面风量越小、风阻越小、采空区密闭性条件越好,采空区氧化带的漏风量越小。另外,工作面采用 H 型、W 型、Y 型等通风方式,采空区氧化带的漏风量增大,工作面采用 U 型通风方式,采空区氧化带的漏风量降低。

4.3.8 本条是选择制氮设备时能力备用系数的相关内容,依据现行行业标准《煤矿用氮气防灭火技术规范》MT/T 701 的有关规定制定。容易自燃煤层备用系数取大值,自燃和不易自燃煤层备用系数取小值。

4.3.9 本条是关于制氮设备备用的相关内容,目前国家其他标准尚无要求。经调研,目前煤矿正在使用的制氮设备大多未设置备用制氮设备,同时考虑制氮防火有别于主要通风机和瓦斯抽采泵等,因此本规范仅针对开采容易自燃煤层的矿井提出设置备用制氮设备的要求,要求备用设备数量和能力按不低于正常运行设备的 50%,备用设备型号应尽量与正常运行设备一致。

4.3.10 本条是关于输氮管路选择和敷设的相关内容,依据现行行业标准《煤矿用氮气防灭火技术规范》MT/T 701 的有关规定制定。不同直径输氮钢管阻力损失系数见表 4。

表4 不同直径输氮钢管阻力损失系数

DN(mm)	70	80	100	150	200	250	300	400
λ	0.032	0.031	0.0296	0.026	0.024	0.023	0.022	0.020

4.4 喷施阻化剂

4.4.1 本条内容是关于阻化剂选择的基本要求,依据《煤矿安全规程》(2011版)和现行行业标准《煤矿防火用阻化剂通用技术条件》MT/T 700 的有关规定制定。

4.4.2 不同煤种有其最适宜的阻化剂。根据国内矿井经验,高硫煤宜采用水玻璃、消石灰阻化剂,其他煤种宜采用盐类阻化剂。

4.4.3 本条是关于常用阻化剂使用参数选择的规定。阻化剂目前主要有盐类($CaCl_2$、$MgCl_2$、$NaCl$ 等)、氢氧化钙溶液、硅凝胶阻化剂等,但应用最广泛的属盐类阻化剂。阻化剂的浓度是其防火的一个重要参数,它决定防火效果,又影响吨煤成本。根据国内矿井经验,盐类阻化剂浓度一般控制在 15%～20%,最低不小于 10%。

阻化剂对普碳钢的腐蚀率应不大于 $3mg/(d·20cm^2)$,故在阻化剂中宜添加缓蚀剂,使其腐蚀率保持在允许范围内。

4.4.4 本条是关于工作面阻化剂喷施量计算的规定,依据现行行业标准《煤矿采空区阻化汽雾防火技术规范》MT/T 699 的有关规定制定。公式中吨煤用液量为每吨浮煤(含护顶煤)的用液量,根据国内矿井经验,吨煤用液量均在 50kg 左右,根据溶液密度换算成体积约为 $0.05m^3$,故按 $0.04m^3$～$0.06m^3$ 取值。

4.4.5 本条是关于采用阻化汽雾防火工艺系统时高压泵压力确定的规定。根据国内矿井经验,雾化器入口的压力达到 3MPa～4MPa 才能起到雾化防火的要求;高压泵压力应根据工作面雾化器设备个数、管路长度、管路直径等参数综合确定。

4.5 灌注三相泡沫

4.5.1 本条内容是关于三相泡沫系统的设计内容。

三相泡沫是近几年研制出的防治煤层自然发火的新型防火方式和材料,是由气相(氮气或空气)、固相(粉煤灰或黄泥等)、液相(水)经发泡而形成的具有一定分散体系的混合体。泡沫中包含的氮气具有惰化、抑爆作用,能有效地固封于泡沫之中,并随之破灭而释放;粉煤灰或黄泥等固态物质组成三相泡沫面膜的一部分,可在较长时间内保持泡沫的稳定性,泡沫破碎后可较均匀地覆盖于煤体上,有效地阻碍煤对氧的吸附,从而防止煤的氧化。

1 根据现行行业标准《煤矿建设项目安全设施设计审查和竣工验收规范》AQ 1055 的有关规定,首先需要建立灌浆系统,三相泡沫可视情况增加,且三相泡沫需要的浆液量较灌浆系统所需的浆液量小。因此,即使单独建立三相泡沫系统,其浆液制备和输送系统能力也应等同于灌浆系统。

3 气源入口压力不低于 0.2MPa 的要求是为了满足浆液和气体的充分混合和三相泡沫的输送和灌注要求,该数据是中国矿业大学多年的研究结果。

4 三相泡沫发生装置应尽可能地安装在灌注点附近,以保证气源和浆液均匀混合,并能将形成的三相泡沫压注到防灭火区域内为宜。

5 综合考虑三相泡沫在管路中的阻力损失、材料选择经济合理性以及运输连接方便性,三相泡沫输送管路的直径宜首选 DN100mm。

4.5.2 本条内容是关于三相泡沫组分的选择。

1 三相泡沫系统首先需要在制浆站中将一定比例的水与灌浆材料搅拌混合形成浆液,通过泵再输送到需要灌注的地点。因此,其要求也等同灌浆系统对灌浆材料的要求。

2 气相的选择基于安全的考虑和气体被煤和水的吸收性。

氮气的溶水性比二氧化碳低55倍，CO_2比N_2更易被不同种类的煤吸收15倍～35倍。这种特性就确定了空气与氮气被作为三相泡沫的气相。

4.5.4 根据现场实践及中国矿业大学的研究，三相泡沫需要的浆液量仅需灌浆所需量的1/5～1/3(一般1/4)即可达到同等效果。

5 井下火灾检测及监控

5.1 观测点设置及仪器配备

5.1.1 本条是关于自然发火观测站或观测点设置要求及自然发火观测站或观测点的观测内容。观测站或观测点设置的要求依据《煤矿安全规程》(2011版)及《矿井防灭火规范》(试行)制定。

井下观测站(点)分为固定观测点、移动观测点和临时观测点三种。在采区、工作面的进回风流建立固定观测站(点),并符合井下测风站的要求。其观测站(点)的位置应使进风观测点能控制全部进风流,回风观测点能控制全部回风流,即两个观测站(点)间不允许有其他的进风流和回风流。在工作面的进回风巷内距工作面10m～20m处设置移动观测点,并随工作面的推进而移动的观测点。发生有异常现象,为缩小火区范围以便准确查找火源点可增设临时观测点。

5.2 监测监控

5.2.1 本条为强制性条文,必须严格执行。本条是关于采煤工作面回风巷一氧化碳传感器设置的有关内容,依据国家现行标准《煤炭工业矿井监测监控系统装备配置标准》GB 50581和现行行业标准《煤矿安全监控系统及检测仪器使用管理规范》AQ 1029的有关规定制定。配备一氧化碳传感器主要是为了检测和预报煤炭自然发火,及时发现和处理火灾隐患,避免人员生命和财产受到威胁。

5.2.2～5.2.5 这几条是关于一氧化碳、温度和烟雾传感器设置的有关内容,依据国家现行标准《煤炭工业矿井监测监控系统装备配置标准》GB 50581和现行行业标准《煤矿安全监控系统及检测仪器使用管理规范》AQ 1029 的有关规定制定。

5.2.6 本条依据《煤矿安全规程》(2011 版)制定。当抽放容易自燃和自燃煤层的采空区瓦斯时,由于抽采负压的作用,容易导致向采空区漏风,致使遗留在采空区氧化自燃带内的浮煤氧化自燃而形成火灾,因此在工作面回风巷宜设置一氧化碳传感器和温度传感器。

5.2.7 线型光纤感温火灾探测器是一种应用光纤(光缆)作为温度传感器和信号传输通道的线型感温火灾探测器,是近年来国际上出现的一种光、机、电、计算机一体化的高新技术产品,适用于易燃、易爆或有强电磁干扰的场所。其具有以下特点:

(1)既是温度传感器,又是信号传输的通道。感温光纤纤芯材料为二氧化硅,具有耐高压、耐腐蚀、抗电磁干扰、防雷击等特点,属本质安全型。

(2)本身轻柔纤细、体积小、重量轻,便于布设安装,可维护性强。

(3)灵敏度高,可靠性好,使用寿命长。

近年来,线型光纤感温火灾探测器开始涉足煤炭行业,越来越多的光纤系统应用在煤矿。一般认为,易发生外因火灾的场所(如电缆敷设密集场所、主要胶带机等)宜选择线型光纤感温火灾探测器,需要监测环境温度(如容易自燃煤层工作面采空区)时宜选择具有实时温度监测功能的线型光纤感温火灾探测器。国内某研究机构的资料,明确推荐在石油化工企业的电缆敷设场所采用缆式线型感温探测器和光纤感温探测器,设计中可根据场景酌情选择。

5.3 束管监测系统

5.3.1 本条是关于配备自然发火束管监测系统的规定。该条根据现行国家标准《矿井通风安全装备标准》GB/T 50518 的相关规定制定。

6 防灭火设施及器材

6.1 井下防灭火器材

6.1.1 本条是关于硐室灭火器种类选择的规定,依据现行国家标准《建筑灭火器配置设计规范》GB 50140—2005 的规定制定。

6.1.2 本条是关于硐室灭火器规格的规定,依据现行国家标准《建筑灭火器配置设计规范》GB 50140—2005 附录 A 制定,同时考虑到井下硐室空间狭小、发生火灾时灭火较困难,同时井下作业人员为体质强壮的男工人,故考虑配置大规格的手提式灭火器和推车式灭火器。

6.1.3 本条是关于硐室内灭火器配备的规定。

1 本款是关于硐室内灭火器数量配备的规定。考虑到发生火灾时若能同时使用 2 具灭火器共同灭火,则对迅速、有效地扑灭初期火灾非常有利,同时,2 具灭火器还可相互备用,即使一具失效,另一具仍可正常使用。同时,井下硐室空间相对狭小,从消防实战考虑,失火后可能会有许多人同时参加紧急灭火行动。如果同时到达同一个灭火器设置点取用灭火器的人员太多,而且许多人都手提1具灭火器到同一个着火点去灭火,则会互相干扰,使现场杂乱,影响灭火,容易贻误灭火时机。况且硐室中的灭火器数量太多,对硐室内正常作业不利,对安全疏散不利,因此规定配备 2 具～6 具灭火器。

2 设置液压装置的硐室、贮存油类的硐室和爆破材料库发生火灾的危害较大,较难扑灭,手提式灭火器作业时间相对较短,故考虑设置不少于 1 具推车式灭火器,增强灭火能力。

3 本款是关于灭火剂相容性的规定,是为防止在同一硐室内选配的各类灭火剂之间发生不利灭火的相互反应而制订的。选择灭火器时应保证不同类型灭火器内充装的灭火剂,不论是同时使用还是依次(先后)使用,均应防止因灭火剂选择不当而引起干粉与泡沫、干粉与干粉、泡沫与泡沫之间的不利于灭火的相互作用,以避免因发生泡沫消失等不利因素而导致灭火效力明显降低。不相容的灭火剂见现行国家标准《建筑灭火器配置设计规范》GB 50140附录E的规定。

4 本款是关于硐室内灭火器设置位置的规定,硐室内灭火器设置在位置明显和便于取用的地点,有利于灭火;井下硐室内空间相对狭小,加大了安全疏散难度,故灭火器设置位置应避免对安全疏散造成阻碍。

6.2 消防材料库及器材配备

6.2.1 本条内容是关于井上消防材料库设置的基本要求,依据《煤矿安全规程》(2011版)制定。考虑到无轨运输情况,本规范将"应能轨道直达井口"改为"运输应直达井口"。

6.2.2 本条内容是关于井下消防材料库设置的基本要求,依据《煤矿安全规程》(2011版)制定。

6.2.3 本条是关于井上、井下消防材料库主要器材配备的有关内容,依据《矿井防灭火规范》(试行)制定。删除了部分日常常用器材,并按井型大小确定了配备数量。井下消防材料库器材配备主要包括直接灭火器材、引水灭火工具、防护工具、清理火场和构筑密闭工具以及密闭材料。